Ruth Rocha

O passarinho que não queria ser cantor

DE ACORDO COM AS NOVAS NORMAS ORTOGRÁFICAS

ILUSTRAÇÕES DE

Luiz Maia

SALAMANDRA

COORDENAÇÃO EDITORIAL
Lenice Bueno da Silva

CURADORA DA OBRA DE RUTH ROCHA
Mariana Rocha

ASSISTENTES EDITORIAIS
Danilo Belchior e Rita de Cássia da Cruz Silva

DIGITALIZAÇÃO DE IMAGENS
Angelo Greco

PROJETO GRÁFICO
Traço Design

IMPRESSÃO
Log&Print Gráfica, Dados Variáveis e Logística S.A.

LOTE
797319

LOTE
12079901

Dados Internacionais de Catalogação na Publicação (CIP)
(Câmara Brasileira do Livro, SP, Brasil)

Rocha, Ruth
O passarinho que não queria ser cantor / Ruth Rocha; ilustrações de Luiz Maia. — 2ª. ed. — São Paulo : Moderna, 2012.

ISBN 978-85-16-07990-1

1. Literatura infantojuvenil
I. Maia, Luiz. II. Título. III. Série.

12-05770 CDD-028.5

Índices para catálogo sistemático:
1. Literatura infantil 028.5
2. Literatura infantojuvenil 028.5

Editora Moderna Ltda.
Rua Padre Adelino, 758 - Quarta Parada
São Paulo/ SP- Cep: 03303-904
Vendas e Atendimento: Tel. (11) 2790-1300
www.salamandra.com.br
Impresso no Brasil / 2025

No galho mais alto da macieira da esquina,
mora a família Bicudo: o senhor Bicudo,
a senhora Bicuda e os bicudinhos todos.

A primavera já está adiantada e os filhotes do casal já estão bem grandinhos... e até sabem o que vão ser quando forem grandes: Lulu quer ser cantor como o papai; Lalá vai ser professora de canto como a mamãe.

GLARRR
GLAA
clássicos

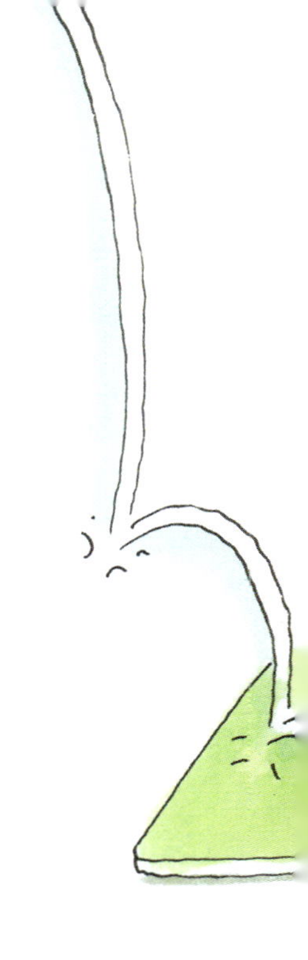

E o Júnior? Ele ainda não sabe o que quer ser.
Só sabe que não quer ser cantor...

Pode entrar!
Junior detetive Voador
Junior Voador Cozinheiro chefe

O papai Bicudo está preocupado:

— Não é possível! Todos os Bicudos foram grandes músicos! Meu avô, Bicudão da Silva, cantou na Ópera do Zoológico da Conchinchina. Minha bisavó cantou no coro da floresta da Adis-Adeba. Meu primo Dodô foi mestre de canto do aviário Cochabamba. E este menino não quer seguir nossa gloriosa carreira...

Mi Mi Moôõõ??
Mi Mi Mi Mo
Mi Mimi wi
Mi Mi Mi Mi Moõõ miii MM ?
?????
???

Todos os dias a família Bicudo fazia exercícios de canto. Só o Júnior não queria nem saber! E ele tinha até uma voz bonitinha...

Seu Bicudo achou que deveria ter uma conversa de passarinho pra passarinho com o filho.

— Meu filho, em todos os tempos, desde a invenção do ovo, os passarinhos são cantores! É só isso que eles sabem fazer!

— Isso é que não! Os passarinhos sabem voar, não sabem?

— Mas isso, meu filho, só serve para fugir do frio. Não é uma profissão!

— Como não, pai? Eu sou capaz de imaginar uma porção de profissões para quem sabe voar... Táxi, por exemplo.

— Mas os táxis não deveriam voar, isso assusta muito os passageiros...

— Então, guia de turismo – lembrou o Júnior.

— Que é isso, meu filho? Um guia de turismo não pode sair voando que os turistas não podem acompanhar...

— Pois eu invento outra coisa. Cantor eu não vou ser.

Papai Bicudo saiu da conversa muito desapontado.
E, no mesmo dia, a família começou a reparar
que o Júnior sumia do ninho durante horas e horas.

— Que será que esse passarinho anda fazendo? –
assustava-se dona Bicuda.

— Ouvi dizer que ele anda com uns *playpombos* por aí – disse o doutor Papagaio, que é fofoqueiro de profissão.

— Ai, meus sais! – pediu dona Bicuda, que desmaiava à toa.

Dentro de algum tempo, Lulu já estava empregado num coral muito importante, Lalá já estava dando aulas na escola maternal dos passarinhos, e o Júnior...

O Júnior passava cada vez menos tempo em casa.

Até que um dia ele apareceu com a cara mais marota do mundo:

— Minha gente, estão todos convidados para a minha formatura!

— Formatura? – perguntaram todos em coro.

— Formatura! – confirmou o Júnior.
Estou me graduando na escola dos pombos-correio.

— Pombos-correio? – tornaram a perguntar em coro os Bicudos, que não só gostavam de cantar em coro, mas também gostavam de falar em coro.

— Pois é – respondeu o Júnior. – Por que é que um pombo pode trabalhar no correio e um passarinho não pode?

MAMÃE
NASCI!!!
FILHA!!!

— Ah, porque os pombos-correio nascem sabendo...

— Por isso é que eu tive de aprender. Uma pessoa esperta aprende qualquer coisa que ela queira muito. Os homens, que são tão bobos, não aprendem a cantar? Eu aprendi a ser pombo-correio...

— Mas os pombos-correio têm noção de direção...

— Por isso é que eu comprei uma bússola. O progresso existe pra isso mesmo...

— Mas, meu filho, e a sua voz tão bonita?
Você não vai aproveitar?

— Ah, vou sim! Já combinei com meus amigos pombos,
com meus amigos canários, com as senhoras arapongas.
Nós vamos fazer um conjunto de rock para tocar
nos fins de semana...

THE BICOS
THE BICOS
HOJE
BILHETERIA
ENTRADA

Ruth Rocha

Ruth Rocha nasceu em São Paulo, capital,
onde sempre viveu. É graduada em Sociologia
e Política pela Universidade de São Paulo
e pós-graduada em Orientação Educacional,
pela Pontifícia Universidade Católica
de São Paulo.

Antes de revelar seu incomparável
talento como escritora de livros infantis,
nestes mais de 40 anos de literatura,
foi orientadora educacional e editora.
É uma das mais premiadas autoras
da literatura infantil brasileira.
Tem mais de cem livros publicados no Brasil
e vinte no exterior, em dezenove idiomas.
Desde 2009, Ruth é autora exclusiva da Salamanndra.

Luiz Maia

Luiz Maia é mineiro e sempre gostou de artes.
Antes de se tornar ilustrador de livros infantis,
desenvolveu várias atividades teatrais
em sua terra natal: criou cenários, encenou
e também apresentou peças com bonecos,
que ele mesmo confeccionava.
Em meio a tantas habilidades, considera
o ato de ilustrar a maior de suas realizações:
é ilustrando personagens infantis
que Luiz solta sua imaginação pra valer!
Não é à toa que já recebeu tantos
prêmios por seus desenhos, entre eles,
o prêmio Jabuti!